CERDDI GWALCH

Salwch Odli

Cerddi
Margiad Roberts

Lluniau
Helen Flook

Gwasg Carreg Gwalch

Cyflwyniedig i
Elis, Nanw, Moi a Lusa,
Llain Gam, Llangwnnadl

Argraffiad cyntaf: 2013
© cerddi: Margiad Roberts 2013
© darluniau: Helen Flook 2013

Rhif Llyfr Safonol Rhyngwladol:
978-1-84527-438-2

Mae'r cyhoeddwyr yn cydnabod cefnogaeth ariannol
Cyngor Llyfrau Cymru

Dylunio: Elgan Griffiths

Cyhoeddwyd gan Wasg Carreg Gwalch,
12 Iard yr Orsaf, Llanrwst, Dyffryn Conwy, Cymru LL26 0EH.
Ffôn:01492 642031
Ffacs: 01492 642502
e-bost: llyfrau@carreg-gwalch.com
lle ar y we: www.carreg-gwalch.com

Argraffwyd a chyhoeddwyd yng Nghymru

Cynnwys

Pry copyn bach

Pry copyn bach i fyny fry
Yn ddiwyd iawn yn gwau ei dŷ.

Pry copyn bach yn mynd am dro:
Abseilio'n sionc o'i dŷ bach o.

I lawr, i lawr ar edau gre;
I lawr, i lawr ymhell o'i we.

A glanio wnaeth yn ddistaw bach
Ar fryncyn mawr heb fawr o strach.

Roedd ogof dywyll o dan y bryn
A chwilio wnaeth am fwyd fan hyn,

Yng nghanol coedwig drwchus ddu,
Chwilio a chwilio yn ddyfal fu

Am bryfetach blasus o bob math
A'r coed yn dal, yn bymtheg llath!

Ond toc, daeargryn anferth ddaeth
Ac ar ei ôl daeth corwynt gwaeth:

"Ha-TSHW! Ha-TSHW!" fe disiodd Taid,
a'r pry copyn bach a roddodd naid!

4

"Ha-THSW!" Saethodd allan fel corcyn potel
Allan o'r goedwig dywyll, ddirgel!

Ond ymhle y glaniodd? Wn i ddim
Ac i ble'r aeth â'i goesau chwim?

A dyna pryd y gwelais o
Yn dringo'n wyllt fel pry o'i go

I fyny, i fyny, yn ôl i'r ne,
I fyny, i fyny ar edau gre.
Ac yna sibrydodd o glydwch ei we
"A' i byth, byth eto am têc-awê!"

Erchyllbeth!

Agorais y drws a daliais fy ngwynt,
fy nghalon yn curo yn gynt ac yn gynt . . .
ac yna fe'i gwelais yn union o'm blaen
yn fawr ac yn flêr, yn hyll a phlaen.

Roedd ganddo ben broga a wyneb twrci,
clustia mul a breichia mwnci,
gwddw fel jiráff a dannedd ffurat,
bol fel morlo a llygaid wombat,

traed fel chwadan a chynffon ci.
Ond 'rhoswch am funud, mae o'n f'atgoffa i . . .
A dyna fi'n sylwi ar fathodyn yr Urdd
oedd ar frest yr anghenfil yn goch, gwyn a gwyrdd.

Mae gen i un fel'na, un union 'run fath,
heb sôn am y crys ac arno lun cath;
a dwi'n nabod y sana, ac ar fy llw,
dyna'r bag llaw a brynais yn y sŵ!

Whiw! Chredwch chi fyth y gollyngdod ges i
pan sylweddolais mai'r erchyllbeth oeddwn i;
a chwarddais a chwarddais o flaen y drych
nes yr o'n i yn llonydd a llipa fel brych.

A meddyliais mor wir y ddihareb,
wrth edrych ar fy llun:
pan fyddwch yn ofni beth welwch
fedar o byth fod yn waeth na chi'ch hun!

Y peiriant golchi

Hen ddynas fach o Gricieth
Yn gweithio mewn londrét,
Ond ar ôl spinio'r bwji
Fe redodd at y fet!

Llif gadwyn

Mae gen i *chainsaw* newydd
A brynais ar ddydd Iau.
Ddoe roedd gen i athro blin
Rŵan mae gen i DDAU!

Y sugnwr llwch

Fe brynais hwfyr newydd
I sugno llaid a llwch.
Ond wps! – mae newydd sugno
Dau faedd a phedair hwch!

Peiriannau

Mae'n wir fod pob rhyw beiriant
Yn werth y byd i gyd,
Ond pan maen nhw 'di malu
Dy'n nhw'n DDA I DDIM BYD!

Roced

Pan fydda i ym Mlwyddyn Chwech,
Dyfeisiaf roced hynod
I anfon Mrs Parri Jones
Ym mhell, bell, bell i'r gofod!

Gwyddoniadur gwaeledd

Dowch i mi weld
beth sy'n bod arna i heddiw ...
Mae hwn yn llyfr da
ac yn rhestru pob afiechyd
a salwch a phla.

'A' am apendiseitis.
Rŵan, 'sgwn i beth ydi hwn?
Mae o'n siŵr o daro
rhyw ddiwrnod, mi wn.

Ac yna yn sydyn,
heb rybudd o nunlla,
fe'm trawyd gan boen
nes ro'n i'n fy nybla!

O aw! Oes wir,
mae gen i boen yn fy ochor!
Apendiseitis ydi hwn!
Well i mi ffonio'r doctor!

Ond ar ôl bodio a bodio
"'Sdim byd yn bod,"
meddai'r meddyg yn swta.
"Dim byd yn bod?!"

A chyn iddo adael
a mynd ar ei hynt,
dywedodd "Edrycha
dan G – G am gwynt!"

Heini

Mae Nain yn gallu plygu
fel stwffwl, ar fy ngwir,
Heb sôn am sefyll ar ei phen
am amser hir, hir, hir.

Ond wrth iddi blethu'i choesa
un diwrnod, tu ôl i'w phen,
fe gloiodd ei chymala
a rowliodd fel pêl fach wen

i lawr y grisiau gyntaf
ac yna'n syth trwy'r drws,
cyn codi gwib a saethu
trwy ganol blodau tlws

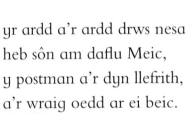

yr ardd a'r ardd drws nesa
heb sôn am daflu Meic,
y postman a'r dyn llefrith,
a'r wraig oedd ar ei beic.

Ond yna trwy drugaredd
fe stopiodd gyda hyn
pan laniodd yn ddirybudd
hefo'r hwyaid yn y llyn.

A Nain sy'n ista heno
fel procar wrth y tân
yn stiff mewn cadair olwyn
â phlastar Paris glân.

Ac nid yw byth am fentro
gwneud ioga eto, wir,
na plethu'i choesa tu ôl i'w phen
am amser hir, hir, hir.

Lladd anifeiliaid

Mae Samantha yn lysieuwraig;
'dyw hi ddim yn bwyta cig
am fod lladd anifeiliaid
yn ei gwneud hi yn ddig.

Ond mae hi'n bwyta pob math
o lysia a ffa,
yn enwedig letys,
fel y gwn i yn dda.

Oherwydd un diwrnod
tra'r oeddwn yn sbecian,
fe'i gwelais hi'n lladd – do wir – CHWE malwan!

"Ond dydi hynna ddim yn cyfri!"
gwaeddodd yn hollol o ddifri:
"achos does gan falwod ddim gwaed,
a ph'run bynnag, maen nhw'n niwsans dan draed!"

Na, tydi Samantha ddim yn bwyta cig,
ond mae hi'n mynd yn reit biwis
pan fydd 'na rywun
yn bwyta ei letys!

Ac ydi, mae hitha yn LLADD malwod;
ond tydach chi ddim i fod i wybod.

Coed

Coeden ydi'r fedwen
A choeden ydi'r gollen,
Coeden ydi'r dderwen,
Y wernen a'r lwyfen.

Coeden ydi'r boplysen,
Y ffawydden a'r griafolen,
Yr helygen a'r ysgawen,
Y gastanwydden a'r onnen,

Y sbriwsen, yr ywen
A'r sycamorwydden.
Heb anghofio'r llarwydden,
Y geiriosen a'r ddraenen.

Onid ydio'n beth rhyfedd
Fod enw pob coeden
Yn gorffen hefo 'en'?
Yn ogystal â 'deilen' a 'phren'?

'Sgwn i be fydda i pan fydda i'n fawr?

Tydw i ddim yn gorrach
Nac yn gawr,
Ond 'sgwn i be fydda i
Pan fydda i'n fawr?

Tydw i ddim yn gorwynt
Nac yn awel,
Tydw i ddim yn swnllyd
Nac yn dawel.

Tydw i ddim yn dywod
Nac yn graig,
Tydw i ddim yn llygoden
Nac yn ddraig.

Tydw i ddim yn seren
Nac yn *suntur,
Tydw i ddim yn benbwl
Na chyfrifiadur.

Dim fi ydi'r alffa
Na chwaith yr omega,
Dim fi ydi'r cynta
Ac nid fi ydi'r dwytha.

Dw i reit yn y canol
Yn gynnes a chlyd,
Ond be ddaw ohona i
Yma'n y byd?

'Sgwn i be fydda i
Pan fydda i'n hŷn?
Fydda i'n neb medda Mam
Ond fi fy hun.

*suntur = y gro neu'r ddaear galed o dan y pridd

17

Llythyrau absenoldeb

Annwyl Musus Tomos
Dwi adra heddiw achos
fod gen i boen mawr yn fy mol
ar ôl i mi fwyta cocos.

Annwyl Musus Lewis,
Dwi adra, 'sgen i'm dewis,
mi fwytais inna fwy nam siâr
a fafon a gwsberis.

Annwyl Mistar Bowen,
mae gen i ddwy lyfrithen
sy'n swigod coch fel mefus mawr
yn cosi fel dwy chwannen.

Annwyl Mrs Morgan,
dwi wedi cael llychedan,
y ddau ben sydd yn mynd 'run pryd,
dwi'n sâl, dwi'n wan fel pluan.

Annwyl Mistar Parri,
dwi'n boeth, dwi bron â thoddi,
Y ffliw sydd wedi dod i'r tŷ
a dyna pam dwi'n giami

Annwyl Mrs Wennol,
dwi adra, dwi'n absennol
oherwydd pam, dwi ddim yn siŵr,
anghofiais ddod i'r ysgol.

Annwyl Mistar Ringo,
bu bron i mi anghofio
y llythyr absenoldeb hwn
sy'n dweud pam o'n i'n dojio.

Gwyliau

Mi es i aros neithiwr
i'r "Rhos" at Taid a Nain.
Cefais wely fy hun
mewn llofft hefo llun
ond roedd y gwynt yn fain, fain, fain.

Chwibanai yn oer trwy'r ffenestri.
Gwthiai'i winedd trwy'r craciau'n y wal.
Roedd arna'i ofn llyncu 'mhoeri
na gwneud sŵn glafoeri
rhag ofn i'r bwgan fy nal.

Ysgydwodd y drws a siglodd y lamp
a gwichiodd y llawr oddi tanaf.
Roedd fy nghalon yn curo.
Roedd fy ngwaed yn pwmpio
a'r bwgan yn nesu yn araf . . .

Cornelodd fi efo'i lygaid
a rheiny yn fflachio yn goch.
"Dwi'm isio bod yma!
Dwi isio mynd adra!"
Sgrechiais a gwaeddais yn groch.

Ond pan agorais y golau
dim ond llygaid y ddraig yn y llun
oedd yno yn fflachio
yn dal i fy ngwylio
a finnau ar ben fy hun.

Aeth Taid a fi adra, i drws nesa,
a neidiais i'm gwely bach clyd.
Doedd dim sŵn yn unman
na bwganod yn llercian.
Dyma'r lle saffa'n y byd.

'Sgin i'm ofn dim byd

'Sgin i'm ofn dim byd!
Bwcïod, bwganod,
bwystfilod, coblynnod,
corynnod, ellyllod,
eryrod, gwiberod,
gwrachod, llewod,
llygod, llwynogod,
malwod, morfilod.
'Sgin i'm ofn dim byd!

Dim ond rheina i gyd!

Yncls

Mae Yncl Jo
Yn dipyn o lo
Ac Yncl Tod
Yn ddyn reit od.
'Rhen Yncl Lewis
Yn ddyn reit biwis
Ac Yncl Dean
Yn hen uffar blin.
Ond Yncl Sam
Mae o fel Mam
yn ffrind go iawn ac yn ddi-nam.

Cneifio

Pedair injian gneifio
yn suo fel gwenyn
wrth ddadwisgo dafad
ar ôl dafad
mor gyflym â merch yn tynnu ei chôt;
a'r pedwar cneifiwr ystwyth
yn chwys diferol
mewn jîns a fest
wrth i'r radio floeddio
a phawb yn rasio
am y gora i orffen,
a'r cyfan drosodd cyn cinio.

Ers talwm,
cyn bod sôn am drydan
nac injian
roedd cneifio yn arafach,
yn ddistawach.
Pob ffarmwr yn eistedd ar fainc
yn ei drowsus brethyn a'i sgidia mawr,
ei grys a'i sana gwlanen;
a sŵn y gwella
yn clip clipian
fel gweill hen wreigan
yn taro ei gilydd,
a'r cymdogion
cymwynasgar
yr un mor brysur eu tafodau;
a'r cneifio yn para am ddyddiau.

Y salwch odli

Salwch ofnadwy ydi'r salwch odli
Mae o'n union yr un fath â chyfogi.
Dach chi'n methu rheoli
Y geiria bach joli
Sy'n codi o rwla'n eich bol chi.

Ac heb i chi sylweddoli
Maen nhw'n neidio allan o'ch ceg chi
Wrth sbio ar y teli
Neu wrth fyta jeli.
Maen nhw bob tro yn siŵr o odli.

Ac odli a wnes i am ddiwrnod
Gan fethu a chael gwared o'r sictod
Fe odlais "gornchwiglod,
ji-bincod, llyffantod"
A phob peth yn odli efo "od".

Ond erbyn y nos ro'n i'n llipa
Yn wir, ro'n i ar fy nglinia.
A gofynnais yn gwla
Pryd ydw i am wella?
Plis, dim mwy o odli geiria...!

Do, gwellais o'r salwch odli.
Doedd o'n ddim yn y bôn ond cyboli.
Ond mi allwch wirioni
Ar eiria sy'n odli
Ac ennill sêt bren am farddoni.

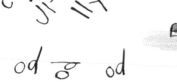

Bwyd cath

Hen ddynas fach o Gricieth
Yn prynu 'Citi-Cat',
Ac ar ôl cyrraedd adref
Yn ei fwyta ar y mat!

Arian

All arian ddim prynu hapusrwydd
Na chariad na iechyd na dawn
Ond mi fasa bywyd gryn dipyn yn haws
Tasa mhwrs a'n walat i'n llawn.

Taid

Roedd Taid yn llawn cricmala
Nes prynodd drampolîn
Ond nawr mae'n gallu neidio
A bownsio ar ei din.

Mae'n gallu gwneud y bac–fflip
A sefyll ar ei ben
A neidio, neidio, neidio
Yn uchel fry i'r nen.

Fe neidiodd Taid un diwrnod
Nes cyffwrdd eroplên
"Gogoniant!" meddai'r peilot.
"Helô," meddai Taid yn glên.

Ond wrth i Taid ddychwelyd
Yn ôl i'r ddaear las
Pwy welodd o yn rhythu
Ond Nain â golwg gas . . .

Fe laniodd diolch i'r nefoedd
Yn ôl ar y gynfas ddu
Cyn saeth'n ôl i fyny
I'r entrychion fry, fry, fry.

Bu'n bownsio, bownsio, bownsio
I fyny ac i lawr,
Yn methu'n glir â stopio
Am bron i hanner awr.

Ond ar ôl iddo sadio
Fe ruodd Nain yn flin
"Dim mwy o neidio gwirion, Taid,
DIM MWY O DRAMPOLÎN!"

Pam nad ydi awr yr un hyd bob tro?

Mae awr ambell waith yn hirach
Dro arall yn fyrrach ond pam?
Achos chwe deg munud sydd ym mhob awr,
Wel, dyna be ddudodd Mam.

Ond fedra i ddim â chredu
fod hynny yn hollol wir
achos ddoe yn y wers fathemateg
fe lusgodd yr awr am hir, hir.

A phan es i i'r ysbyty
Roedd pob awr yn ddwyawr o hyd
A bysedd y cloc fel pe baen nhw yn sâl,
heb egni o fath yn y byd.

Ond wedyn pan fydda i'n chwara
Reidio beic neu ddringo coed
Mae awr wedi rasio i rywle
Yn gynt nag a welsoch chi rioed!

A phan fydd hi'n ddiwrnod cneifio
A finna'n cael lapio gwlân
Bydd awr wedi'i chneifio mewn chwinciad
A bysedd y cloc ar dân.

Mae chwe deg munud ym mhob awr,
Wel, dyna be ddudodd Mam.
Ond mae awr ambell waith yn fyrrach
Dro arall yn hirach ond pam . . .?

Pryfaid

Ma pryfaid yn betha piwis,
Bob amser yn suo yn flin
Heibio'ch pen chi un funud
Ac yna heibio'ch tin.

Mi gosan flaen eich trwyn chi
A'ch pigo ar gefn eich llaw.
Wel, maen nhw'n betha diflas
Ac anodd i'w cadw draw.

Mi boeran ar bopeth a bawa;
Join-ddy-dots yw eu patrwm bob tro.
Ond os digwydd un lanio o dan fy llaw
Dyna fydd ei ddiwedd o!

Yr oen llywaeth

Roedd gen i oen llywaeth
Oedd yn grwn fel pêl-droed.
Yr oen llywath tewa
A welwyd erioed.

Roedd o'n sugno a sugno
Trwy'r dydd a thrwy'r nos
Ond byth, byth yn chwarae
Na phrancio ar y rhos.

Doedd o byth yn mynd allan
Dim ond gorwedd a rhythu
Trwy'r dydd a thrwy'r nos
Ar gyfrifiadur a theledu.

"Cer allan i chwarae!"
Meddais wrtho un dydd
Ac allan yr aeth o
Yn flin ac yn brudd.

Bu'n brefu a brefu
A chwyno am ddyddia
Ond o dipyn o beth
Daeth yn dipyn o ffrindia

Hefo'r ŵyn bach eraill
Oedd draw ar y brynia
Yn rhedeg a rasio
A phawb am y gora.

Ac ymhen fawr o dro
Fe gollodd ei fraster
Ac yn ei le magodd
Gyhyrau a chryfder.

A rŵan yn lle bod
Yn grwn fel pêl-droed
Mae o'n iach ac yn heini
Ac yn hapusach nac erioed.

Doniau

Mae 'na rai sy'n dda am gicio pêl-droed
A rhai sy'n dda am ddringo coed.

Mae 'na rai sy'n wych am blygu gwrych
A rhai sy'n dda am 'bincio'n y drych.

Mae 'na rai sy'n arbennig am droi neu aredig
Ac eraill yn nodedig am fod yn garedig.

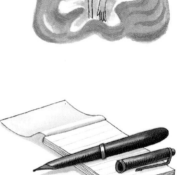

Mae ambell un yn dda am nofio
Ac ambell un yn dda am gofio.

Ambell un yn well am sgrifennu
Ac ambell un yn well am ganu.

Mae 'na rai sy'n weddol am neud bob dim
Ac eraill yn dda am redeg yn chwim.

Gewch chi rai sy'n dda am fedru cyfri
A'r lleill yn dda am chwalu slyri.

Mae 'na rai sy'n gampus am neud roli-poli
Ac eraill yn dda am wthio troli.

Ond w'chi be? O'r holl amrywia'th,
Mae pawb, ym mhob man, yn dda am neud rwbath.

Enwau lleoedd

Pwy a enwodd Garn Fadryn?
Pwy a enwodd Y Rhiw
Mor bell, bell yn ôl?
Does gen i ddim cliw.

A beth am Dudweiliog,
Abersoch a Phorth Ceiriad,
Aberdaron, Rhoshirwaun?
Does gen i ddim syniad.

Ac er chwilio a chwilio
Yn ddyfal am olion
Ŵyr neb yn y byd
Pwy a enwodd Rhydolion.

A phwy oedd yr un
a fedyddiodd Blawty,
yn yr oes gynnar honno
Cyn bod sôn am sgrifennu?

A phwy oedd y rhai cynta
i ddweud â'u tafoda
"Dyma Gefnamwlch,
Dyma Fodwrdda"?

Wel, pwy bynnag â'u henwodd
Mae un peth yn ffaith
Mai Cymry oedd y bobol
A Chymraeg oedd eu hiaith.

Anifeilaidd 'ta be?

Mae brech yr ieir ar Meira
a'r eryr ar Rowena.
Ond sut yn y byd y medrodd Dei
gael defaid yn ei glustia?!

Y fam gas

"Mae gen i ddolur gwddw
a phoen mawr yn fy mol.
Well i mi aros adra."
"O paid â gneud dy lol!"

Pigiad

Paid â phoeni, siŵr, dydi pigiad yn ddim byd,
dim ond clamp o nodwydd ddwywaith dy hyd
a honno yn suddo fel trosol trwy'r croen
gan ddod allan y pen arall yn hollol ddi-boen.

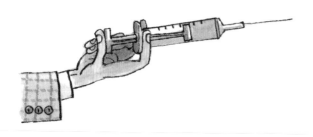

Fy hoff gêm

Mae snwcer yn o-cê
a golff yn iawn.
Ond mi fedra i feddwl am ffordd well
o dreulio fy mhrynhawn.

Mae rygbi i wenci
sy'n gallu ochor gamu,
a hoci i ferched
sy'n gallu pastynu.

Mae tennis yn gampus
os nad ydi hi'n bwrw glaw.
A nofio'n ardderchog
Os ydi'n wlyb ar y naw.

Mae criced yn ddiflas,
Ond am bêl-droed,
dyma'r gêm ora
a grëwyd erioed!

Gwenoliaid

Bydd Mam yn diawlio bob blwyddyn
Pan ddaw hi'n Fis Ebrill a Mai
Achos dyna pryd y daw'r gwenoliaid yn ôl
Ac arnyn nhw i gyd y mae'r bai.

Maen nhw'n maeddu a phoetsio popeth
Mae'n nhw'n bawa ar ben y ci
Ac mae pob silff ffenest yn frown a du
Maen nhw'n afiach, coeliwch chi fi.

A dyna i chi pam y bydd Mam yn flin
Ac yn bygwth malu eu nythod
Eu waldio, eu colbio, eu pluo yn fyw
A'u berwi a'u rhoi mewn pasteiod!

Ond yna, pan ddaw penna'r cywion,
I sbecian dros ymyl y nyth
Bydd calon Mam yn toddi
A fasa hi ddim yn eu brifo nhw byth.

"Mae'r petha bach wedi hedfan
Bob cam o Dde Affrica bell
Yma i nythu a threulio'r haf
Gan obeithio cael bywyd gwell.

A phan fydd mis Hydref yn nesu
A'r tywydd yn oeri, yn siŵr,
Bydd pob un wennol ar wifren y ffôn
Yn barod i fynd nôl dros y dŵr."

Ond eto, mi wn pan ddaw'r Gwanwyn
Y bydd Mam yn flin ac o'i cho'
Am eu bod nhw yn bawa a phoetsio
O'u nyth mwd o dan y to.

Cwningod

Roedd 'na wyth cwningen fechan ar y ddôl,
ond lladdwyd un gan lwynog
a dim ond saith oedd ar ôl.

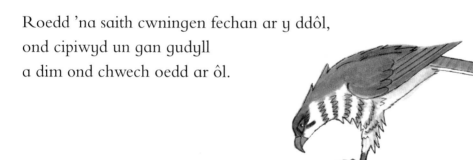

Roedd 'na saith cwningen fechan ar y ddôl,
ond cipiwyd un gan gudyll
a dim ond chwech oedd ar ôl.

Roedd 'na chwe cwningen fechan ar y ddôl,
ond rhwygwyd un gan ffwlbart
a dim ond pump oedd ar ôl.

Roedd 'na bump cwningen fechan ar y ddôl,
ond gwasgwyd un gan garlwm
a dim ond pedair oedd ar ôl.

Roedd 'na bedair cwningen fechan ar y ddôl,
ond saethwyd un gan ffermwr
a dim ond tair oedd ar ôl.

Roedd 'na dair cwningen fechan ar y ddôl,
ond darniwyd un gan dylluan
a dim ond dwy oedd ar ôl.

Dim ond dwy gwningen fechan oedd ar y ddôl,
ond cyn pen dim o amser
roedd 'na WYTH yn ôl!

Mudo

"Mae llyffantod a brogaod,
Madfallod a physgod,
Morfilod ac ystlumod
I gyd yn mudo," medda Mam.

"Maen nhw'n gorfod mudo
I chwilio am fwyd
A dyna pam mae'n rhaid i ninna
Symud i Glwyd.
Yno mae dy Dad wedi cael gwaith
I ddysgu Cymraeg i bobol ail iaith."

"Mam, dwi'm isio mynd!"

"Ond mae'r antelope, yr eliffant,
y caribw a'r zebra . . ."

"Mam, dwi'm ishio symud o'ma!
Mae'r cwpwrdd bwyd yn llawn.
A ma'n well gen i aros adra.
Iawn?!"

Salwch

Dwi'n gwla, dwi'n giami,
dwi'm hannar da.
Mae 'mhen i'n y Sahara
a 'nhraed i 'Ngwlad yr Iâ.

Dwi'n llegach, dwi'n llipa,
dwi'n wan a dwi'n llwyd.
Ma' nwylo i'n grepach,
'sgen i'm awydd bwyd.

Plîs, plîs ga i wella –
dwi'm eisio bod yn glaf,
achos dim ond newydd ddechra
mae gwylia'r haf!

Rysáit aros adra

Un cilo o fronceitis,
dwy o donsileitis,
litr hael o annwyd trwm
a phwced o facteriwm;
pinsiad o bla,
cymysgwch yn dda,
ei hidlo i jwg
a'i yfed mewn mwg
a dyna'r rysáit aros adra!

Bocsys cardbord

Mae tŷ ni yn llawn
O focsys cardbord.
Roedd Dolig leni
Yn dipyn o record.

Ges i *Lego* a beic
A *Super Nintendo*,
Compiwtar a jîns
Ac *Action Man Commando*.

Ond ro'n i'n siomedig
Na chawson ni eira,
A finna wedi cael
Car-llusg gan Anti Meira.

Roedd Dolig leni
Yn Ddolig O Cê.
Mi ffeindiais focs newydd
Ac ynddo ddigon o le.

Yna, mewn sgip
Ar ymyl y stryd
Cefais un hosan dyllog
A digon i wneud pryd.

Diolch i'r drefn
Na fwriodd hi eira
Neu byddai 'nghartra
Wedi difetha.

Y wers ymarfer corff

Mae'n gas gen i gêms:
dydw i ddim yn rhy hoff
o newid i shorts
a rhedeg yn gloff.

Ac mae Mistar Huws
yn mynnu ein bod ni i gyd
yn rhedeg rownd cae
o hyd ac o hyd.

Ond mae hi'n iawn arno fo
yn ei gôt a'i fenig.
Redith o i nunlla –
dim cythra'l o beryg!

Pysgod

"Ydi pysgod yn crïo?"
"Nac ydyn, siŵr!"
"Wel, sut wyt ti'n gwybod
mewn powlenaid o ddŵr?"

"Ydi pysgod yn chwerthin?"
"Nac ydyn, siŵr!"
"Wel, sut wyt ti'n gwybod
a thonnau yn y dŵr?"

Coesau ôl hir

Ydach chi wedi sylwi
Fod pawb â choesa ôl hir
Yn dda am sboncio a neidio
Yn uchel dros y tir?

Dyna i chi'r wallaby,
Y cangarŵ a'r gwningen,
Llyffantod o bob lliw a llun,
y sioncyn gwair a'r chwannen.

Ping-pong

Ping-pong-ping-pong!
Gêm fach ddifyr ydi hon.

Ping-pong-ping-plop!
A'r gêm fach ddifyr ddaeth i stop!